Daniel bei den Löwen

Marzellus malt eine Geschichte

Text von Gottfried Vanoni

Bilder von Antonella Bolliger-Savelli

Verlag St. Gabriel
Verlag Ernst Kaufmann

„Marzellus, du bist doch ein Künstler“,
sagt der Priester,
„mal uns bitte ein Osterbild.
Hier an die Wand der Katakombe gehört ein Osterbild.“

Die Christen von Rom feiern
ihren Gottesdienst in der Katakombe.
Eine Katakombe ist ein unterirdischer Friedhof.
Hier loben die Christen ihren Gott.
Sie singen ihm ihre Lieder.
Sie sagen ihm ihre Bitten.
Hier holen sie Kraft für ihr Leben.
Sie hören Gottes Wort.
Sie essen das heilige Brot.
Sie trinken aus dem heiligen Kelch.

Der Kaiser von Rom läßt sich als Gott anbeten.
Die Christen beten nicht mit.
Sie beten zu Gott.
Gott ist ihnen wichtiger als der Kaiser.
Der Kaiser läßt die Christen einsperren.
Im Zirkus müssen sie mit Löwen und Bären kämpfen.
Viele kommen dabei um.
Es braucht Mut, Christ zu sein.

Marzellus ist noch nicht lange Christ.
Er hat am Osterfest die Taufe erhalten.

Marzellus freut sich.
Er darf ein Osterbild malen.
Er denkt nach:
Jesus ist am Kreuz gestorben.
Seine Freunde haben ihn vom Kreuz genommen
und ins Grab gelegt.
Vor das Grab haben sie einen großen Stein gewälzt.
Das alles könnte ich gut malen,
denkt Marzellus.
Aber das ist noch nicht Ostern.
Ostern ist:
Gott hat Jesus aus dem Tod geweckt.
Kein Mensch hat es gesehen.
Und wie kann ich malen,
was keiner gesehen hat?

Wenn Gottes Wort vorgelesen wird,
hört Marzellus aufmerksam zu.
Vielleicht kommt ihm dabei eine Idee für sein Osterbild.
Eines Tages wird die Geschichte von Daniel vorgelesen:

Da ist König Darius.
Er herrscht über ein großes Land.
Darius setzt 120 Statthalter ein.
Die müssen auf das Land aufpassen
und auf die vielen Menschen.

Und da ist Daniel.
Er ist einer der drei Stellvertreter des Königs.
Die müssen auf die 120 Statthalter aufpassen.
Daniel kommt aus einem fremden Land.
Dort hat er dreimal am Tag zu Gott gebetet.
Daniel hat seinen Gott nicht vergessen.
Noch immer betet er dreimal am Tag.
Dreimal am Tag lobt Daniel seinen Gott.

Daniel ist klug und geschickt.
Alles gelingt ihm.
Der König kann sich auf ihn verlassen.
Er hat Freude an Daniel.
Er möchte ihn zum obersten Stellvertreter machen.
Daniel soll neben dem König
der höchste Mann im Land sein.

Den andern beiden Stellvertretern gefällt das nicht.
Sie rufen die 120 Statthalter zusammen.
Gemeinsam schmieden sie einen Plan gegen Daniel.
Sie wollen ihn aus dem Weg räumen.
„Daniel macht nichts falsch“,
sagt der eine, „er hält jedes Gesetz.“
„Deshalb müssen wir ein neues erfinden“,
sagt der andere, „ein neues Gesetz.“

Die beiden Stellvertreter
und die 120 Statthalter gehen zum König.
„Großer König“, sagen sie.
„Ewig sollst du leben!
Dein Land braucht ein neues Gesetz.
So soll das Gesetz heißen:
Niemand darf zu einem Gott beten,
und niemand darf von einem Menschen etwas wünschen —
außer von dir, großer König!
Sonst wird er in die Grube zu den Löwen geworfen!“

Dem König gefällt das Gesetz.
Es schmeichelt ihm.
An Daniel denkt er dabei nicht.
Der König befiehlt:
„Schreibt das Gesetz auf!“
Er setzt sein Siegel darunter.
Nun gilt das Gesetz im ganzen Land.
Alle Menschen müssen ihm gehorchen.

120 Schreiber schreiben das Gesetz ab.
Überall wird es bekannt gemacht.
Alle Menschen müssen das Gesetz kennen.
Auch Daniel liest das neue Gesetz.
„Ich halte mich nicht daran“, sagt er.
„Mein Gott ist wichtiger als dieses Gesetz.“

Daniels Feinde verstecken sich.
Sie wollen ihn belauern.
Da kommt Daniel.
Er kniet nieder und betet.
Er erzählt Gott, was ihm Kummer macht
und was ihm Freude macht.

Daniels Feinde eilen zum König.
„Großer König“, sagen sie,
„hast du nicht ein Gesetz gemacht?“
„So ist es“, sagt der König,
„und alle müssen dem Gesetz gehorchen.“
„Daniel gehorcht dir nicht“, sagen sie.
„Er kümmert sich nicht um das Gesetz.
Dreimal am Tag betet er zu seinem Gott.“

Der König erschrickt.
Er wird traurig.
Daß Daniel zu den Löwen kommt,
das hat er nicht gewollt.
Den ganzen Tag überlegt der König:
„Wie kann ich Daniel retten?“

Am Abend kommen Daniels Feinde wieder.
„Großer König“, sagen sie.
„Hast du nicht gesagt:
Alle müssen dem Gesetz gehorchen?
Auch der König muß seinem Gesetz gehorchen!“
Da befiehlt der König schweren Herzens:
„Werft ihn in die Grube zu den Löwen!“
Zu Daniel sagt der König:
„Dein Gott soll dich retten!“

Daniel wird zu den Löwen hinabgeworfen.
Der König befiehlt:
„Wälzt einen großen Stein über die Grube!“
Er setzt sein Siegel darauf.
Niemand darf den Stein wegnehmen.

Der König geht in seinen Palast.
Er mag nicht essen.
Er mag nicht trinken.
Er mag mit niemand reden.

Der König hat eine schwere Nacht.
Im Traum reißen die Löwen ihren Rachen auf.
Sie knurren und fauchen.
Sie erheben ihre Tatzen gegen den König.
Schweißgebadet wacht er auf.

In aller Früh eilt der König zur Grube.
Schon von weitem ruft er:
„Daniel, lieber Daniel!
Hat dein Gott dich gerettet?“

„Großer König“, ruft Daniel.
„Die Löwen haben mir nichts zuleide getan!
Mein Gott hat ihnen den Rachen zugesperrt.
Er hat mich gerettet.
Denn auch ich habe keinem Menschen
etwas zuleide getan!“

Der König ist glücklich.
Er befiehlt:
„Zieht Daniel aus der Grube!
Aber seine Feinde werft zu den Löwen!"

Daniel wird aus der Grube geholt.
Er ist heil und gesund.
Daniel hat auf seinen Gott vertraut.
Er hat zu ihm gebetet.
Und sein Gott hat ihn nicht im Stich gelassen.

Der König läßt ein neues Gesetz aufschreiben:
„Sagt überall in meinem Land:
Verehrt Daniels Gott!
Dieser Gott ist treu.
Auf ihn dürft ihr euch verlassen.
Er kann retten und befreien.
Er ist der König der Welt.
Seine Macht ist groß.
Er hat Daniel aus den Tatzen der Löwen gerettet."

Der König befiehlt:
„Laßt uns ein Fest feiern!"
Daniel ist ein großer Mann.
Auch später,
als König Darius alt wird und stirbt,
bleibt Daniel in hohen Ehren.

Marzellus hat die Geschichte aufmerksam angehört.
Auf einmal ist ihm klar:
Das wird mein Osterbild!

Daniel hat auf Gott vertraut.
Er hat sich nicht selber geholfen.
Und Gott hat Daniel nicht im Stich gelassen.

Auch Jesus hat auf Gott vertraut.
Er hat sich nicht selber geholfen.
Die Leute haben gespottet:
„Wenn du Gottes Sohn bist,
dann hilf dir selbst
und steig vom Kreuz herab!“
Jesus ist nicht herabgestiegen.
Er hat ein Gebet gesprochen,
das er schon als Kind gelernt hat:
„Gott, auf dich haben unsere Vorfahren vertraut,
und du hast sie gerettet.
Gott, nun rette auch mich vor dem Rachen des Löwen!“
Und Gott hat Jesus nicht im Stich gelassen.
Er hat ihn aus dem Tod geweckt.

Auch die Christen von Rom vertrauen auf Gott.
Sie fürchten sich nicht vor den Löwen und Bären.
Sie glauben fest:
Gott läßt uns nicht im Stich.

Gott ist stärker als die wilden Tiere.
Er ist mächtiger als alle Könige und Kaiser.
Gott ist stärker als der Tod.

Daniel hat nicht umsonst auf Gott vertraut.
Daniels Mut hat das böse Gesetz besiegt.
König Darius hat Gott geachtet und angebetet.

Jesus ist nicht umsonst gestorben.
Die Menschen, die ihn getötet haben,
sind zum Glauben gekommen:
„Dieser Jesus ist Gottes Sohn."

Marzellus ist froh.
Nun kann er sein Osterbild malen.
Das Daniel-Bild soll den Christen von Rom Mut machen.
Sie sollen sich nicht von ihrem Glauben abbringen lassen.
Gott ist wichtiger als das Gesetz des Kaisers.

Marzellus beginnt zu malen.
Und während er malt,
träumt er einen Traum:
Eines Tages wird auch der Kaiser Christ sein.

ISBN 3-85264-276-0

ISBN 3-7806-2251-3
Gesamtherstellung:
Missionsdruckerei St. Gabriel, Mödling
Printed in Austria